PALAVRAS SAPECAS

Copyright © 2019 Carochinha

Todos os direitos reservados. Nenhuma parte desta obra pode ser reproduzida, arquivada ou transmitida, de nenhuma forma ou por nenhum meio, sem a permissão expressa e por escrito da Carochinha.

Impresso no Brasil

EDITORES Diego Rodrigues e Naiara Raggiotti

PRODUÇÃO
EDITORIAL Karina Mota
ARTE Bruna Parra e Elaine Alves
REVISÃO Carochinha
MARKETING E VENDAS
PLANEJAMENTO Fernando Mello
ATENDIMENTO COMERCIAL E PEDAGÓGICO Eric Côco, Nara Raggiotti e Talita Lima

ADMINISTRATIVO
JURÍDICO Maria Laura Uliana
FINANCEIRO Amanda Gonçalves
RECEPÇÃO E ALMOXARIFADO Cristiane Tenca
RECURSOS HUMANOS Rose Maliani
EQUIPE DE APOIO
SUPORTE PEDAGÓGICO Cristiane Boneto, Nilce Carbone e Tamiris Carbone

---

Dados Internacionais de Catalogação na Publicação (CIP) de acordo com ISBD

C232p   Canton, Katia

       Palavras Sapecas / Katia Canton ; ilustrado por Gabriela Gil. – São Paulo : Carochinha, 2019.
       48 p. : il. ; 20,5cm x 27,5cm.

       ISBN: 978-85-9554-027-9

       1. Literatura infantil. 2. Palavras. I. Gil, Gabriela. II. Título.

2018-272   CDD 028.5
                                                      CDU 82-93

Elaborado por Vagner Rodolfo da Silva - CRB-8/9410

Índice para catálogo sistemático:
1. Literatura infantil   028.5
2. Literatura infantil   82-93

1ª edição, 2019
5ª reimpressão, 2023

rua napoleão de barros 266 · vila clementino
04024-000 são paulo sp
11 3476 6616 · 11 3476 6636
www.carochinhaeditora.com.br
sac@carochinhaeditora.com.br

Siga a Carochinha no Facebook...
  / carochinhaeditora

PALAVRAS SAPECAS

Katia Canton

Ilustrações de Gabriela Gil

– CHEGA DE LUGAR COMUM!
QUEREMOS NOVOS SONS E SENTIDOS! –
DISSERAM, UM DIA, AS PALAVRAS SAPECAS.
E O QUE FAZ UMA PALAVRA SER SAPECA?

PALAVRAS SAPECAS ADORAM BRINCAR DE TROCA-LETRAS.

OLHEM A BAGUNÇA QUE AS PALAVRAS FIZERAM, TROCANDO LETRAS DE LUGAR, INVENTANDO JOGOS DE PALAVRAS DIVERTIDOS E MUDANDO SEUS SENTIDOS...

ELAS BRINCARAM ASSIM:

RECEITA PARA AFINAR A CINTURA...

NO RETRATO, TROQUE O **C** PELO **P** E MODIFIQUE A FIGURA.

ESTOU COM FRIO.
CUBRA-ME NO MEIO DA **MATA**.

ACRESCENTE O **N** NO MEIO
DA PALAVRA.

QUER VER O **PÃO** LATIR?

É SÓ TROCAR O **P** PELO **C**.

SE VOCÊ NÃO GOSTAR DE BOLINHO
DE **CHUVA** E FICAR COM FOME...

...BASTA RETIRAR O **CH** PARA COMER UMA DELICIOSA FRUTA.

DO **TRONCO** DA ÁRVORE, ME TRAGA O DINHEIRO QUE SOBROU.

SUBA NELE E RETIRE O N.

TROQUE O E PELO O.

COMO É QUE UM **BODE** PODE TRANSPORTAR UM MONTÃO DE GENTE?

É SÓ COLOCAR UM N

NO MEIO DA PALAVRA.

O **MUNDO** FICOU SEM PALAVRAS.

PERDEU SEU N.

VOCÊ SABE FAZER O **CAÇÃO** TOCAR UMA MÚSICA?

ACRESCENTE UM N DEPOIS DO PRIMEIRO A.

ACENDA A LUA.

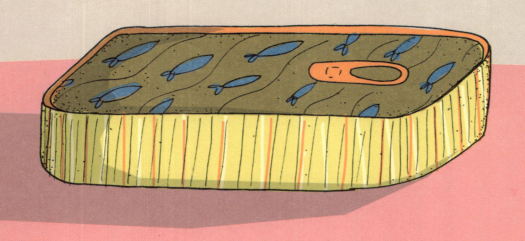

**FAÇA ESSE ATUM ENLATADO
FICAR MÁGICO.**

TROQUE O **LA** POR **CAN**.

MINHA CASA FICA NA LUA.

EU TROCO O L PELO R.

A **BANANA** FICOU IMPORTANTE!

ELA TROCOU O PRIMEIRO N PELO C.

ECA! QUE NOJO! OLHE O QUE ACONTECEU COM A **BATATA**...

TROQUE O PRIMEIRO T POR R E ELA VIRA UM BICHINHO BEM NOJENTO.

QUER DIRIGIR UM **JARRO**?

É SÓ TROCAR O J PELO C.

DÁ PARA MORAR NUMA ASA?

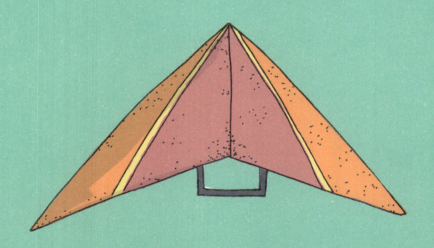

SÓ SE ACRESCENTARMOS UM C
NO INÍCIO DA PALAVRA.

EU ACHO QUE JÁ CHEGA
DESTA BRINCADEIRA.

SIM

É HORA DE TROCAR O
S PELO F.

POR DENTRO DAS PALAVRAS SAPECAS

Se você ficou em dúvida, consulte as respostas abaixo.

PÁGINAS 6 E 7 — CINTURA / PINTURA

PÁGINAS 8 E 9 — MATA / MANTA

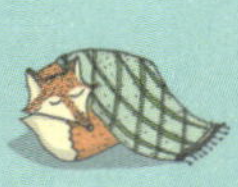

PÁGINAS 10 E 11 — PATO / JATO

PÁGINAS 12 E 13 — PÃO / CÃO

PÁGINAS 14 E 15 — CHUVA / UVA

PÁGINAS 16 E 17 — TRONCO / TROCO

PÁGINAS 18 E 19 — NOVE / NOVO

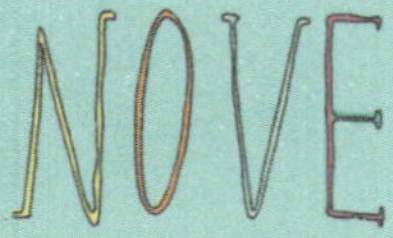

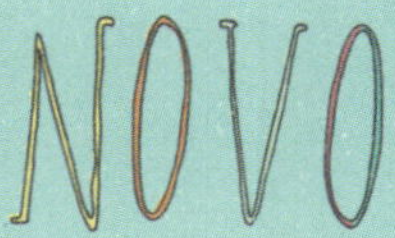

PÁGINAS 20 E 21 — BODE / BONDE

PÁGINAS 22 E 23 — MUNDO / MUDO

PÁGINAS 24 E 25    CAÇÃO    CANÇÃO

PÁGINAS 26 E 27   LUA   LUZ

PÁGINAS 28 E 29   ENLATADO   ENCANTADO

PÁGINAS 30 E 31   LUA   RUA

PÁGINAS 32 E 33   BANANA   BACANA

PÁGINAS 34 E 35   BATATA   BARATA

PÁGINAS 36 E 37   JARRO   CARRO

PÁGINAS 38 E 39   ASA   CASA

PÁGINAS 40 E 41    SIM    FIM

A AUTORA

KATIA CANTON

Sou educadora, artista, arteira. E sou escritora, autora de mais de cinquenta livros. Em resumo: sou uma contadora de histórias que usa imagens e palavras. Ah, as palavras... Sempre adorei as palavras!

Desde pequenininha, antes de entender seus significados, eu ficava observando as formas, o tamanho — tentando entender o motivo de algumas serem grandes e outras, pequenas. Umas arredondadas, outras mais compridas. Umas em letra bastão, outras em letra cursiva. Sempre muito sapecas!

Aí, quando fui alfabetizada, que maravilha! Senti-me poderosa e muito feliz em brincar com suas combinações. Depois, criar frases. Depois, parágrafos. E, por fim, livros!

Eis minha paixão. E espero que se torne a sua também.

A ILUSTRADORA

GABRIELA GIL

Sou ilustradora e professora de ilustração na Quanta Academia de Artes. Trabalho com livros, revistas e publicações para todas as idades. Estudei Artes Visuais na Universidade Estadual Paulista (Unesp), fiz pós-graduação em Design Gráfico na Fundação Armando Alvares Penteado (FAAP) e me especializei em livros infantis e narrativa visual. Adoro dinossauros e bolo de cenoura, e estou sempre com lápis e caderno nas mãos para registrar novas aventuras.

ESTE LIVRO FOI COMPOSTO NO REINO DA CAROCHINHA EM
MAIO DE 2023, DEIXANDO TODO MUNDO MALUCO COM ESSAS
LETRAS PULANDO DE PALAVRA EM PALAVRA.